ISBN 90-71779-20-3
Eskl Korsan
Özgün Adı/Original Title: Woeste Willem
Öykü ve Resimler/By: Ingrid & Dieter Schubert
Türkçesi/Translated into Turkish by: Fatih Erdoğan
© 1992, Lemniscaat, Holland
© 1992, Turkish Edition, Lâle, Holland

Ingrid & Dieter Schubert

Eski Korsan

Lâle

Korsan Osman, şu eski korsan, göl kıyısında yaşar.
Gemisi yok artık. Evi var.
İşte şu.

Osman öyle aksi bir adam ki, sormayın. Hele bir evinin yakınlarına yaklaşın. Yerinden fırlar, gözlerini kocaman kocaman açıp homur homur homurdanır, "Defolun burdan!" diye avaz avaz bağırır.

Bu yüzden de kimse onunla ilgilenmez zaten.
O öylece kendi kendine ağacın tepesine yaptığı gözetleme kulesine
çıkar ve gölü gözetler bütün gün.

Bir gün çatıdan bir gürültü geldiğini duydu. Dışarı çıktığında bacanın yanında kendisine bakan bir çocuk gördü.
"Hey! İn bakayım ordan! Kimsin sen?"
"Adım Cem, ama inemem!"
"Nedenmiş o?"
"Çok yüksek!"
"Çok yüksekmiş! Nasıl çıktıysan öyle inersin. Haydi çabuk!"
Cem ağlamaya başladı, önce sessizce, sonra da bağıra bağıra.
Korsan Osman rahatsız oldu. Hiçbir korsan buna dayanamaz.

Çabucak çatıya tırmandı ve Cem'i koltuğunun altına alıp su borusundan kayarak aşağıya indirdi.
"Sen bir aslan kadar kuvvetlisin!" dedi Cem ona.
"Bir deniz aslanı yani," dedi Osman gururla.

"Öyleyse lütfen uçurtmamı da indirir misin? Bacanın yanında kaldı."
Amaaan, dedi kendi kendine Osman. Yani yeniden mi tırmanacağım çatıya.
Sonunda tırmanıp paramparça bir haldeki uçurtmayı indirdi.
"Haydi şimdi uzaklaş burdan!"
Cem uçurtmasını aldı ve, "Yine görüşürüz!" dedi giderken.
"Hiç sanmam!" diye homurdandı Korsan Osman.

O günden sonra ilginç şeyler oldu. Korsan Osman her gün kapısının dibinde küçük armağanlar bulmaya başladı.

Önce ne yapacağını bilemedi. Ama sonra aklına parlak bir fikir geldi. Hımm... diye mırıldandı kendi kendine. Hele bir dur sen bakalım.
Bahçeden çıtalar topladı, bez parçaları buldu. Sonra da iş başına oturdu.
Sonunda bitirmişti. Dışarı baktı. Ama kapısında yeni bir armağan yoktu bu kez...

Yazık, dedi kendi kendine, tam ben de verecek bir şey hazırlamıştım...
Tam o sırada küçük bir ses geldi kulağına.
"Bir şey mi dedin?"
"Cem! Sensin ha!"
"Beni özledin mi?"
Osman gülümsedi. Arkasında bir şey saklıyordu.
"Bak Cem," dedi, "sana bir şey yapmıştım..."
"Ne o?"
"Şey, uçurtma. Yeni bir uçurtma."
Cem gülmeye başladı. "Ama çok önemli bir şey unutmuşsun. Kuyruğu
yok bu uçurtmanın. İpi de yok."

Korsan Osman düşünceli düşünceli kulağını kaşıdı. "Hımm, bu da sorun değil, şimdi buluruz."
Bütün gücünü kullanarak koca bir sandığı dışarı çıkardı. Cem ile birlikte kapağını kaldırdılar. İçi denizcilik eşyalarıyla doluydu.
Cem heyecanla sandığın içine eğildi.
"Bütün bunları nerden buldun?"
"Hepsi korsanlık günlerimden kalma. Büyük denizlerde serüvenden serüvene yelken açtığım o günlerden..."

Korsan Osman sandıktan sivri bir şey çıkardı.
"Bu bir köpekbalığı dişi. Bir gün korkunç bir fırtınada dalgalarla boğuşuyordum. Birden gemimin güvertesine savruldu ve yelkenlerime takıldı. Onu kurtardım tabii, ama dişi kırılmıştı.
"Vay canına," dedi Cem heyecanla. "Peki bu ne?"

"O bir ev. Bir denizkızının evi. Başka bir yere taşınırken bana vermişti."
Cem sandığın içinden kaygan bir şey çıkardı.
"O da deniz yaratığının ayakkabısı. Gemime her geldiğinde ortalık ıslanırdı.
Oysa kendini iyice sıkıp kurutmasını söylerdim hep."

"Öff! Berbat kokuyor," dedi Cem. "Peki
 bu şişede ne var?"
"Hayır," dedi Osman. "O çok tehlikeli
bir serüvendi. Senin gibi daha suya bile
girmemiş biri için fazla tehlikeli."
"Suya girmemiş mi? Hiç de bile!
Yüzmeyi biliyorum ben!"
"Gerçekten mi?"
"Tabii. Yani birazcık."

Osman şişeyi açtı. İçinden bir kâğıt çıktı.
"Bu bir hazine planı. Hep bu hazineyi aradım. Ama başında bir deniz canavarı nöbet bekliyordu. Tam iki, hayır iki değil, yedi tane başı vardı. Korkunç bir savaş oldu. Tabii ki ben kazandım. Ama gemimi parçalamıştı. İşte kala kala bu tahta parçasıyla ucunda şu yelken ipi kaldı. Uçurtmana bunu kuyruk yaparız."

Cem dikkatle dinledi. Sonra da başını salladı.
"Hayır Osman. Yeni bir gemi yapacağız ve uçurtmamızı da yelken olarak kullanacağız. Sonra da denize açılacağız, denizkızını ziyaret edeceğiz, deniz yaratığını gemimize davet edeceğiz, deniz canavarını yenip hazineyi alacağız."
Korsan Osman her zamanki gibi sakalını sıvazladı. "Olur mu dersin? Sen henüz daha denize açılmamış bir çocuksun. Daha önce denizcilik yapmamış kimseleri deniz tutar bilirsin."
"Hımm, bekle biraz," dedi Cem, "birkaç şey alayım, geliyorum."

Osman sıkıntıyla bir o yana bir bu yana dolaştı durdu. "Ne yapacağım şimdi ben? Ne yapacağım şimdi ben?" diye söylenip duruyordu.

İşte Cem gelmişti bile. Hem de sırt çantasıyla.

"Sana bir şey söylemek istiyorum," dedi Osman.

"Sonra söylersin. Şimdi acelemiz var."

Uzun bir çalışmadan sonra salın üzerine yelkenini takmayı başardılar.
Osman çok kederli görünüyordu.
"Neyin var, Korsan Osman, deniz mi tuttu?"
"Hayır, hayır, daha da kötü!" diye homurdandı Osman.
"Haydi söyle bana."
"Sana söylediklerim doğru değildi."
"Yani hepsini uydurdun mu?"
"Evet," dedi Osman kısık bir sesle. Kulaklarına kadar kızarmıştı.

Cem birkaç dakika kadar sessiz kaldı.

Sonra birden, "Olsun!" diye bağırdı. "Hiç fark etmez. Şimdi ikimiz birlikte serüvene atılırız!"

"Ama bir şey daha var," dedi Osman.

"Ne var?"

"Yüzemem ben."

"Yüzemez misin? Üzüldüğün şeye de bak. Çantamda tam sana göre bir şey var."

Birlikte gölde yelken açıp bir baştan bir başa dolaştılar.
Ne dersiniz?
Hoş serüvenler yaşayacaklar mı sizce?

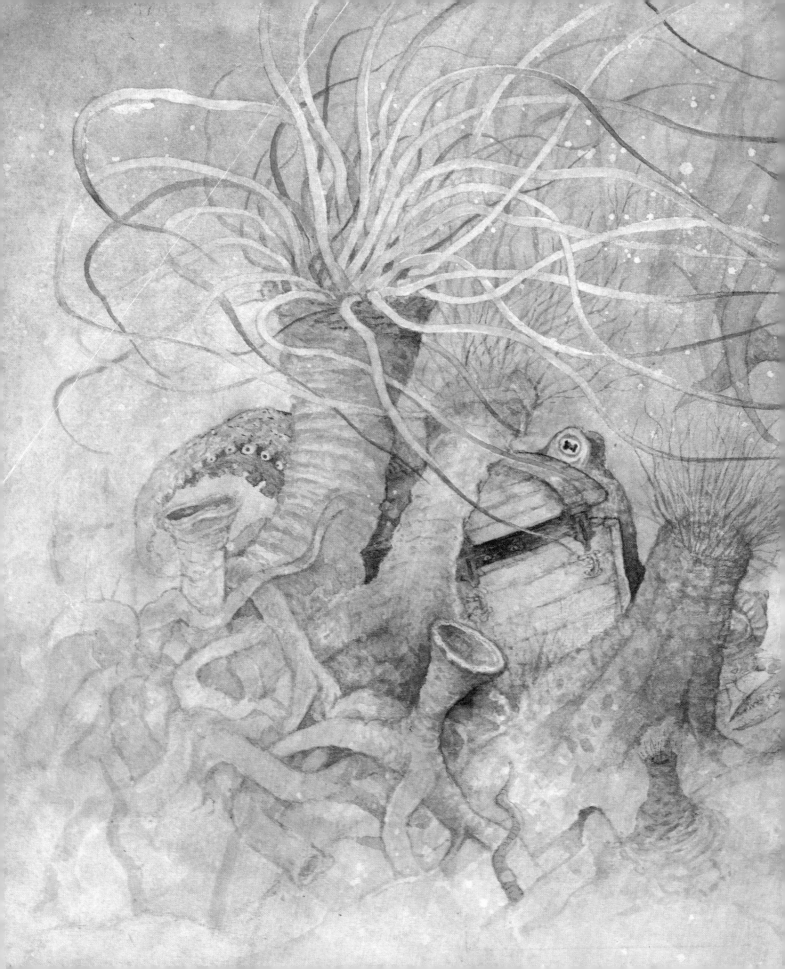